O DOM DA HISTÓRIA

Clarissa Pinkola Estés, Ph.D.

O DOM DA HISTÓRIA
Uma fábula sobre o que é suficiente

Tradução de
WALDÉA BARCELLOS

Título original
THE GIFT OF STORY
A Wise Tale About What Is Enough

Copyright © 1993 by Clarissa Pinkola Estés, Ph.D.

Todos os direitos, incluindo, mas não limitados, direitos de performances, formas derivadas, adaptação, musicais, de áudio, gravação, ilustração, teatro, cinema, pintura, tradução, reimpressão e direitos eletrônicos. Todos os direitos reservados sob Convenções de Copyright Internacional e Pan-Americano. Nenhuma parte deste livro pode ser usada sem permissão escrita.

Nota do Editor Original: Em *O dom da história: uma fábula sobre o que é suficiente*, as narrativas familiares, bem como várias historietas, poemas e traduções originais de poemas, orações e ditos provenientes de outros idiomas são trabalhos literários escritos pela Dra. Estés e publicados aqui pela primeira vez. Estão protegidos por copyright e não estão em domínio público.

Direitos mundiais para a língua portuguesa
reservados com exclusividade à
EDITORA ROCCO LTDA.
Avenida Presidente Wilson, 231, 8º andar
20030-021 – Rio de Janeiro, RJ
Tel.: (21) 3525-2000 – Fax: (21) 3525-2001
rocco@rocco.com.br
www.rocco.com.br

Printed in Brazil/Impresso no Brasil

Preparação de originais
MÔNICA MARTINS FIGUEIREDO

CIP-Brasil Catalogação na fonte.
Sindicato Nacional dos Editores de Livros, RJ

E83d	Estés, Clarissa Pinkola O dom da história: uma fábula sobre o que é suficiente / Clarissa Pinkola Estés; tradução de Waldéa Barcellos. – Rio de Janeiro: Rocco, 1998. Tradução de: The gift of story: a wise tale about what is enough. ISBN 85-3250820-0 1. Fábula norte-americana. 1. Barcellos, Waldéa. II. Título.
97-2044	CDD-813 CDU-820(73)-3

Aos velhos,
a *nagyszülőknek*,
para los ancianos,
os últimos da sua espécie.

CONTIDAS NESTE PEQUENO LIVRO, há diversas histórias que, como bonecas *Matrióchka,* se encaixam umas dentro das outras. Entre o meu povo, as perguntas costumam ser respondidas com histórias. A primeira história quase sempre evoca outra, que chama uma outra, até que a resposta à pergunta se estenda por diversas histórias. Considera-se que uma sequência de histórias proporciona um insight mais amplo e mais profundo do que uma história única. Portanto, de acordo com essa antiga tradição, comecemos com uma pergunta. O que constitui "o suficiente"? Permitam que eu comece a responder contando-lhes uma história.

Essa antiga história me foi transmitida em muitas versões diferentes, muitas noites junto à lareira. Os narradores eram várias pessoas boas e rústicas da Europa Oriental, a maioria das quais ainda vive pela tradição oral. A história é sobre o grande sábio, o Bal Shem Tov.

O amado Bal Shem Tov estava à morte e mandou chamar seus discípulos.

– Sempre fui o intermediário de vocês e agora, quando eu me for, vocês terão de fazer isso sozinhos. Vocês conhecem o lugar na floresta onde eu invoco a Deus? Fiquem parados naquele lugar e ajam do mesmo modo. Vocês sabem acender a fogueira e sabem dizer a oração. Façam tudo isso, e Deus virá.

Depois que o Bal Shem Tov morreu, a primeira geração obedeceu exatamente às suas instruções, e Deus sempre veio. Na segunda geração, porém, as pessoas já se haviam esquecido de como se acendia a fogueira do jeito que o Bal Shem Tov lhes ensinara. Mesmo assim, elas ficavam paradas no local especial na floresta, diziam a oração, e Deus vinha.

Na terceira geração, as pessoas já não se lembravam de como acender a fogueira, nem do local na floresta. Mas diziam a oração assim mesmo, e Deus ainda vinha.

Na quarta geração, ninguém se lembrava de como se acendia a fogueira, ninguém sabia mais em que local exatamente da floresta deveria ficar e, finalmente, não conseguia se recordar nem da própria oração. Mas uma pessoa ainda se lembrava da história sobre tudo aquilo e a relatou em voz alta. E Deus ainda veio.

Como nessa história antiquíssima, como em toda a história da humanidade e segundo minhas tradições familiares mais profundas, o dom essencial da história tem dois aspectos: que no mínimo reste uma criatura que saiba contar a história e que, com esse relato, as forças maiores do amor, da misericórdia, da generosidade e da perseverança sejam continuamente invocadas a se fazerem presentes no mundo.

Nas duas tradições das quais me origino, hispano-mexicana por nascimento e de imigrantes húngaros por adoção, o relato de uma história é considerado uma prática espiritual básica. Histórias, fábulas, mitos e folclore são aprendidos, elaborados, numerados e conservados da mesma forma que se mantém uma farmacopeia. Uma coleção de histórias culturais, e especialmente de histórias de família, é considerada tão necessária para uma vida longa e saudável quanto uma alimentação razoável, trabalho e relacionamentos razoáveis. A vida de um guardião de histórias é uma combinação de pesquisador, curandeiro, especialista em linguagem simbólica, narrador de histórias, inspirador, interlocutor de Deus e viajante do tempo.

Na farmácia das centenas de histórias que me ensinaram nas minhas duas famílias, a maioria delas não é usada como simples diversão. De acordo com a aplicação folclórica elas são, sim, concebidas e tratadas como um grande grupo de medicamentos de cura, cada um exigindo preparação espiritual e certos insights por parte tanto do curandeiro quanto do paciente. Essas histórias medicinais são tradicionalmente usadas de muitos modos diferentes. Para ensinar, para corrigir erros, para iluminar, auxiliar a transformação, curar ferimentos, recriar a memória. Seu principal objetivo consiste em instruir e embelezar a vida da alma e do mundo.

É preciso que se saliente também que muitos dos remédios, ou seja, histórias mais poderosas, surgem em decorrência de um sofrimento terrível e irresistível de um grupo ou de um indivíduo. Pois a verdade é que grande parte da história deriva da aflição. Deles, nossa, minha, sua, de alguém que conhecemos, de alguém que não conhecemos e que está distante no tempo e no espaço. E no entanto, por paradoxal que seja, essas mesmas histórias que brotam do sofrimento profundo podem fornecer as curas mais poderosas para os males passados, presentes e futuros.

Quando eu era criança, os poucos parentes húngaros que sobreviveram à devastação da guerra na Europa acabaram vindo para os Estados Unidos com a ajuda dos que já se encontravam aqui. De repente, eu era a feliz herdeira de uma família adicional, que incluía algumas velhas notáveis. Uma em especial eu chamava de "tia Irena", que em húngaro é um nome carinhoso que se dá a quem conta histórias, como o nome "Mamãe Gansa", na Grã-Bretanha e nos Estados Unidos. Foi ela quem me ensinou uma história sobre o que "suficiente" realmente quer dizer.

Na época, ela era uma velha que se tornou um dos tesouros da minha vida porque era cheia de um amor imenso pelos seres humanos e, mais especialmente, pelas criancinhas. Às vezes, ela me acordava de manhã salpicando água fria no meu rosto, e isso ela chamava de sua bênção especial para mim. No verão, ela passava suco de cerejas pretas no meu rosto como se fosse ruge. E uma vez no inverno, fora das limitações do bom comportamento vigente entre os adultos da época, ela deslizou comigo morro abaixo num trenó até chegarmos a um pasto, dando risadas o tempo todo. O melhor de tudo era que ela conhecia uma infinidade de histórias. Quando eu subia no seu colo, sentia que estava sentada num grande trono aconchegante, e tudo parecia perfeito conosco e com o mundo.

Isso era ainda mais extraordinário se considerarmos que ela e todo esse lado da família haviam atravessado anos de medo e desumanidade indescritíveis durante a guerra. Eles eram lavradores simples, que moravam nos povoados minúsculos e aldeias remotas. E, como milhões e milhões de mulheres e homens semelhantes nos países de toda a Europa, todos eles foram lançados numa guerra que não criaram e que, no entanto, eram forçados a suportar ou morrer. Titia, como todos os que sobreviveram, costumava repetir o tempo todo:

– Não consigo tocar nesse assunto. Ninguém pode entender como foi terrível. Ninguém pode entender como foi, a menos que tivesse presenciado a guerra, sentido seu cheiro, ouvido seus ruídos, se agarrado à vida durante aquele período.

Quando eu lhe perguntava que lembrancinha ela gostaria de ganhar no aniversário ou no Natal, sua resposta era sempre a mesma:

– Presente nenhum, por favor, *édes kis,* minha queridinha. Os presentes que eu mais queria já estão aqui, agora: poder abraçar uma criança de novo, poder sentir o amor, poder rir às vezes, e, finalmente, poder novamente chorar. Tudo que mais quis está aqui.

Eis a história que ela me deixou sobre o "suficiente". Ela a contou em terceira pessoa, como as pessoas contam quando "não conseguem tocar nesses assuntos". Talvez o cerne da história lhes seja familiar, pois ela é muito antiga.

Há muitos e muitos anos, durante a guerra, uma pequena fazenda na Hungria foi invadida três vezes por três exércitos diferentes. Perto do final da guerra, no inverno, apenas três dias antes do Natal, chegou ainda mais um exército e carregou praticamente todos os que restavam para campos de trabalhos forçados. Os outros foram levados, marchando, até a fronteira, sendo ali deixados sem sapatos e agasalhos. Por um milagre, uma das velhas conseguiu se esconder na floresta. Assustada e aflita, ela perambulou pela mata por horas intermináveis, tentando num instante ficar negra como um tronco de árvore e, no instante seguinte, branca como a neve. Ao seu redor, apenas a noite estrelada e, de quando em quando, o som da neve caindo das árvores.

Com o tempo, ela chegou a um pequeno barracão do tipo usado por caçadores. Encontrando-o vazio, ela entrou e se deixou cair no chão, aliviada. Foram apenas momentos até ela perceber que ali na cabana, na penumbra, havia mais alguém. Era um homem muito velho, cujos olhos estavam cheios de medo. Mas ela soube imediatamente que ele não era seu inimigo. Num instante ele percebeu que ela também não era sua inimiga. Para dizer a verdade, os dois eram mais esquisitos do que assustadores. Ela usava calças de homem, curtas demais, um casaco ao qual faltava uma das mangas e um avental enrolado na cabeça à guisa de chapéu.

Quanto ao homem, suas orelhas eram de abano, e o cabelo se resumia a dois tufos brancos. As calças eram como dois balões com uns gravetinhos de perna dentro delas. Seu cinto era tão grande que lhe dava duas voltas na cintura.

Ali ficaram eles sentados, dois estranhos sem nada de seu, privados de tudo, a não ser das batidas do coração. Ali estavam eles, dois refugiados atentos para ver se ouviam passos na neve; duas criaturas prontas para fugir no instante necessário. E, juntos, carregavam toda essa mágoa numa noite belíssima na qual, em tempos normais, as pessoas de toda parte estariam celebrando, ao seu próprio modo, o apogeu do Natal e a volta da Luz abençoada ao mundo.

Estava claro pelo jeito de falar do homem que ele tinha muito mais instrução do que a mulher. Mesmo assim, ela ficou grata quando afinal ele disse:

– Deixe-me contar uma história para passar a noite.

Ah, uma história, algo conhecido. Na época em que viviam, nada, mas absolutamente *nada*, fazia sentido. Já uma simples história – *isso* ela podia compreender. Eis a história que ele narrou... uma história que conferiu significado à pergunta "O que é suficiente?" e tornou aquela noite diferente de qualquer outra passada ou futura.

— Nesta noite não temos nada — começou o velho. Mas em outras partes do mundo há sem dúvida pessoas que podem ter muito mais do que precisam. O que é suficiente? Vamos examinar essa pergunta.

Era uma vez, há muito tempo, na época em que nossos abençoados avós ainda viviam, uma moça pobre, porém linda, que era casada com um rapaz igualmente pobre e bonito. Estava chegando a época natalina, quando é costume a troca de presentes. Os jovens enfrentavam grande falta de dinheiro, pois uma guerra que grassava havia muitos anos acabava de esmorecer.

Todos os carneiros haviam sido abatidos pelos soldados para que a carne lhes fosse tirada. Portanto, não havia lã nenhuma com a qual fazer fio. Sem fio, não havia como tecer; sem tear, não havia tecido; e, portanto, nenhum traje de inverno para substituir as roupas andrajosas. Quando podiam, as pessoas retalhavam dois pares de sapatos para fazer um único par de dar pena. Todo mundo usava todos os suéteres e coletes esfarrapados que tinha, de tal modo que as pessoas davam a impressão enganosa de estarem barrigudas, apesar de macilentas tanto acima quanto abaixo da cintura.

E então, como costuma acontecer quando a pior parte da guerra passou, as pessoas começaram a se esgueirar de volta ao que restava das suas casas. Como o cachorro que conhece seu próprio território, as pessoas voltavam para ficar, apesar das condições de penúria. Algumas das lavradoras começaram a consertar arados, substituindo a lâmina por cápsulas de obuses que aqueciam e moldavam à mão. Outras cortavam e sacudiam as plantas mortas à procura de sementes. O alfaiate implorava por alguns retalhos de pano para começar a costurar de novo e vendia nas ruas seus coletes e casacos feitos de retalhos. O padeiro moía à mão qualquer grão que pudesse cultivar em vasos quebrados na janela e, depois, moldava habilmente pãezinhos minúsculos, que vendia na porta da frente da sua casa. E, aos poucos, pessoas com a mente voltada para o comércio começaram a conseguir um pequeno sustento com a venda de pequenas ninharias, enquanto agradeciam pelo fato de que, por maiores que fossem os males da guerra, ela não havia conseguido apagar o sol. E assim seguia a vida na aldeia. Embora sem abundância, por toda parte ressurgiam os sinais mais simples da vida nova. E as pessoas tomavam enorme cuidado para proteger tudo que fosse frágil ou jovem.

Era assim que viviam a linda moça e o belo rapaz. Embora tivessem perdido muito com a guerra, eles ainda possuíam dois bens de valor. O rapaz havia conseguido não se desfazer do relógio de bolso do seu avô e sentia orgulho em informar as horas a quem lhe perguntasse. E a moça, apesar de malnutrida há meses, ainda tinha uma longa e bela cabeleira que, quando ela soltava, tocava o chão em toda a sua volta, cobrindo-a como um manto da pele mais valiosa. E assim, ricos dessa forma simples, o jovem casal levava a vida, tentando ganhar alguns centavos com a venda eventual de um pequeno nabo ou de uma maçã de inverno.

Velas de trapos e óleo estavam acesas nas vitrines da cidade inteira para o Natal. A noite chegava mais cedo, ficava mais tempo e a neve caía veloz. A moça queria tanto dar ao marido um presente de Natal, um presente grande, brilhante, lindo. Quando procurou nos bolsos, porém, ela só encontrou alguns poucos centavos. E, enquanto encarava a difícil situação em que estava sem o menor sinal de autocomiseração, ela não conseguiu deixar de chorar em silêncio.

Percebeu que as lágrimas não a ajudariam se ainda quisesse encontrar um presente para o marido, por isso secou o rosto e arquitetou um plano. Vestiu seu casaco surrado e calçou dois pares de luvas, cada um com dedos diferentes faltando. Saiu correndo pela porta e pela rua lamacenta, passou por todas as lojinhas com pouquíssima mercadoria nas vitrines. Nada mais importava, porque ela agora tinha em mente um presente, um presente especial para o marido que trabalhava tanto tempo e com tanto afinco para tão pouco conseguir trazer para casa.

Passou por pilhas de entulho, por escadas sem casas e desceu por um beco estreito até entrar num prédio sombrio. Subiu três lances de escada, correndo, a essa altura já sem fôlego e praticamente sem força suficiente para bater à porta.

Madame Sophie atendeu, usando um vison desprezível, comido de traças, em volta do pescoço. Seu cabelo era laranja e arrepiado em toda a volta da cabeça. Suas sobrancelhas eram como escovas cheias de fuligem. Ela era sem dúvida a velha mais estranha que já pisou na superfície da Terra. Ela, que antes da guerra fazia finas perucas para mulheres e homens ricos, estava, agora, reduzida a viver num apartamento de um cômodo sem calefação.

Os olhos de Madame Sophie cintilaram.

– Ah, você veio vender seu cabelo? – disse ela, arrulhando.

Ela e a moça barganharam muito até que afinal chegaram a um acordo. A moça se sentou na cadeira de madeira. Madame Sophie ergueu uma de suas pesadas tranças para iluminá-la. Ela brilhou como fio de seda. Com tesouras que pareciam ser do tamanho de enormes mandíbulas negras de ferro, Madame Sophie cortou os esplêndidos cachos da moça em três grandes tesouradas. As lindas madeixas caíram no chão e as lágrimas cintilantes da moça as acompanharam. Madame Sophie, como se fosse um roedor voraz, juntou o cabelo cortado.

– Tome seu dinheiro – rosnou a velha. Ela pôs umas moedas na mão da moça, empurrou-a para o corredor e bateu a porta.

E ponto final.

Apesar de passar por uma tortura dessas, a moça era guiada por sua visão interior, e seus olhos voltaram a se iluminar de entusiasmo. Correu pela rua até um homem que vendia correntes prateadas para relógios feitas de chumbo estanhado, mas que, sem dúvida, tinham uma aparência mais elegante do que a de um simples barbante comum. Ela lhe deu os centavos que tinha antes e os que ganhou com a venda do seu lindo cabelo. E, com mãos imundas, ele lhe entregou uma corrente para relógio. Ah, como de repente ela se encheu de alegria por ter um presente para dar ao seu amado. Pois praticamente correu para casa, com os pés mal tocando o chão, como o anjo que ela, em outro lugar e em outra época, poderia decerto ter sido.

Enquanto isso, o marido estava ocupado com seu próprio esforço para encontrar um presente para sua querida mulher. Ah, o que poderia ser? Qual seria o presente certo? Um comerciante lhe empurrou uma batata murcha. Não, não, isso não serviria. Outro exibiu uma echarpe que, embora estivesse surrada, tinha uma cor bonita. Mas não, ela esconderia seus cabelos maravilhosos, e ele adorava tanto ver sua cabeleira com seus reflexos de rubi e ouro.

Na esquina seguinte, onde ventava muito, mais um mascate exibia nas palmas das mãos dois pentes simples e sem graça. Um era perfeito, ao outro faltava um dente. O rapaz soube que havia encontrado o presente perfeito.

– Doze centavos por esses pentes elegantes? – sugeriu o vendedor.

– Mas eu não tenho doze centavos – disse o rapaz.

– Bem, o que é que você tem? – guinchou o homem. E começaram a pechinchar.

Enquanto isso, de volta ao minúsculo quarto alugado, a jovem molhou o cabelo com um pouquinho d'água e o forçou a formar ondinhas em volta do rosto. Sentou-se, então, para esperar o marido.

– Que ele ainda me ache bonita assim mesmo – sussurrava ela, numa oração silenciosa.

Logo ela ouviu seus passos na escada. Ele entrou apressado, pobre criatura, magro como um poste, com o nariz vermelho, os dedos congelados, mas com toda a disposição e a esperança de recém-nascido. E ali na soleira, ele parou petrificado, olhando perplexo para a mulher.

– Ai, você não gostou do meu cabelo, meu querido? Você não gostou? Bem, por favor, diga alguma coisa. Para dizer a verdade, eu o cortei para com isso conseguir algo de bom para você. Por favor, diga alguma coisa, meu amor.

O rapaz estava dilacerado entre a dor e o riso, mas, afinal, o humor o dominou.

– Minha querida – disse ele, dando-lhe um abraço. – Aqui está seu presente de Natal.

Do bolso ele tirou os pentes. Por um instante, o rosto dela se iluminou, depois todas as suas feições se entristeceram e ela irrompeu em lágrimas, praticamente uivando de dor.

– Meu amor – ele a consolava –, seu cabelo vai voltar a crescer um dia, e esses pentes ficarão maravilhosos. Não vamos nos entristecer.

– Está bem, então – controlou-se ela.

Sua felicidade voltou quando ela mostrou o presente que tinha para ele.

– E este aqui é o seu presente, meu marido.

E na palma da sua mão estava a corrente nua, seu presente obtido com sacrifício para ele.

– Ha! – protestou ele, começando de um salto a andar de um lado para outro. – Você sabe que vendi meu relógio para comprar seus pentes?

– Você vendeu?! Vendeu?! – exclamou ela.

– Vendi! Vendi! – gritou ele.

Eles se abraçaram, riram e choraram juntos, fazendo promessas mútuas de que o futuro seria melhor, sem dúvida, era só esperar para ver.

Pois, vejam só, embora haja quem possa dizer que esses dois jovens foram tolos e imprudentes, eles eram de fato como os reis magos que procuravam o messias. Mesmo que os reis magos, com as melhores das intenções, trouxessem presentes de ouro, incenso e mirra, no fundo, aquilo que eles traziam no coração era o que tinha mais valor: seu desejo e sua devoção.

E o jovem casal neste caso, como os reis magos, também foram sábios, pois deram o mais precioso de todos os presentes possíveis. Deram seu amor, seu amor mais verdadeiro um ao outro.

E ele foi suficiente.

E, com essas palavras, o velho, que era pouco mais do que um feixe de ossos, terminou sua história. Ali na cabana, suas palavras tornaram menos sós e menos temerosos a solidão e o medo que cada um deles sentia. Não porque o motivo do medo tivesse, como que por mágica, sido eliminado, já que isso não havia acontecido, mas porque a história lhes proporcionou força.

Ali ficaram eles sentados, o velho e a velha, naquela noite da época natalina. Ele lhe revelou que estava próxima a época do *Chanukah,* o período do ano em que ele e seus entes queridos normalmente davam *gelt,* pequenos presentes de moedas. E ela lhe disse que estava por perto o Natal, o período do ano no qual sua gente também trocava presentes. E os dois sorriram com tristeza, pois as tradições das duas culturas exigiam presentes, e ali estavam eles sem absolutamente nada a dar a ninguém. Ficaram sentados em silêncio até que de repente as seguintes palavras saltaram do coração da velha.

– Já sei. Vou lhe dar o presente do céu acima de nós.

E ela pôde ver que alguma coisa tocava o coração do homem, pois ele fechou os olhos por algum tempo, respirou fundo, abriu os olhos de novo e olhou direto para ela, para responder:

– Sinto-me honrado por receber esse seu presente.

E a velha imaginou que ele não fosse dizer mais nada.

Então, subitamente, ele voltou a falar:

– E... e em troca eu lhe dou o presente das estrelas lá em cima.

– Eu também me sinto honrada – disse ela. E continuaram sentados compartilhando a dor, uma alegria cada vez mais profunda e a contemplação.

As palavras voltaram a correr para sua boca sem que ela soubesse de onde vinham.

– E eu retribuo sua gentileza, dando-lhe o... o presente da lua nesta noite.

Ele permaneceu em silêncio por muito tempo mesmo. Estava procurando no céu mais alguma coisa para dar, mas não restava nada, pois eles haviam dado tudo que podia ser visto no céu noturno. Ficaram, assim, sentados em silêncio total.

Afinal, ocorreu-lhe a ideia.

– Ah, agora compreendo. Eu retribuo sua delicadeza, dando-lhe a história que acabei de contar. Guarde-a bem. Leve-a para fora desse bosque em excelente estado de saúde.

E os dois fizeram que sim, pois sabiam que uma história forte, talvez mais do que qualquer outra coisa, poderia iluminar as florestas e campos escuros que teriam pela frente.

Naquela cabana, naquela noite, naquele bosque, eles ousaram relembrar o passado: dias de alegria, de luz de velas, comida fumegante, rostos amigos, braços nos ombros, a música de violinos, a dança e as crianças de bochechas rosadas. Eles recorreram ao carinho dos presentes dados, certos, pelo menos naquela hora, e talvez para sempre, de haver razão para se acreditar na bondade essencial dos seres humanos.

Talvez fosse o avental que ela lhe tenha dado para cobrir a pobre cabeça, pois, como a moça da história, a velha tinha muito mais cabelo do que o velho. Ou talvez fosse porque as estrelas e a lua se houvessem tornado seu grande marcador do tempo, como o relógio do rapaz na história. Ou podia ser porque as trilhas pelas quais seguiriam se estendiam à sua frente como correntes prateadas, ou talvez, ainda, porque eles poderiam um dia conseguir esperar ansiosamente pelo crescimento de algo seu que no passado havia sido belo e livre. Qualquer que fosse a razão, e talvez por milhares de razões que eles não poderiam compreender, nem eu nem você nem nenhum de nós jamais poderá compreender totalmente, mas graças aos céus por ter sido assim, porque...

foi o suficiente.

De acordo com minha tia querida, o velho e a velha chegaram ao acordo de que era mais seguro seguir cada um seu caminho. Portanto, ao entardecer do dia seguinte, num crepúsculo de inverno na Hungria, eles se despediram e seguiram seus caminhos, arriscando-se sozinhos na floresta. Como o de tantos outros numa terra devastada, seu destino estava nas mãos de Deus. E é só isso o que se sabe, pois eles nunca mais se viram.

Quando eu era criança, queria sair à procura deles para confirmar que haviam sobrevivido. "O que aconteceu com eles? Onde podem estar?", perguntava eu. Titia explicava que o velho era realmente uma pessoa especial, que talvez não morresse nunca, pois sem dúvida suas histórias o mantinham forte e cheio de vida, como as histórias que ela conhecia a mantinham viva, e como as minhas fariam por mim. "E a velha?", eu perguntava. "Onde a velha pode estar?"

Silêncio. Depois, com o olhar perdido na distância, num lugar que só ela podia ver, titia dizia:

– Acho que ela ainda pode estar viva.

EPÍLOGO

Ouvi muitas versões orais da história do velho e, no início da idade adulta, li um conto semelhante a esse intitulado *Os presentes dos magos* escrito por O. Henry em 1905. Ainda me impressiono com o quanto o cerne da história retém sua essência candente e vigorosa, não importa que tipo de adorno ou de variedade de palavras seja aplicado ao seu redor.

Na tradição oral, *Os presentes dos magos* é chamada de história literária, o que costuma ser um conto composto a partir de elementos recolhidos de histórias folclóricas muito mais antigas ou nitidamente reminiscentes delas. É possível que a história do velho tenha derivado da história literária. Ela pode ter sido combinada com temas de antigos contos de fadas da Europa Oriental. "A compra do objeto maravilhoso que se torna inútil" é um *leitmotiv* comum nas histórias antigas, que normalmente giram em torno da venda ou troca de um objeto com a finalidade de adquirir outro, mas com o detalhe de esse novo item se tornar completamente inútil em decorrência de atos imprevistos de outra pessoa ou força. Às vezes, surge uma reviravolta a mais. De modo inexplicável ou em virtude de uma mudança na conscientização ou na perspectiva, o objeto inútil volta a ter utilidade. A história de *João e o pé de feijão* é um exemplo.

No mundo inteiro há muitas histórias antigas que giram em torno da ideia de uma ironia amarga, porém instrutiva. Embora algumas tratem de ironias banais, outras lidam com questões de vida e morte. A história *Wolfen* ou *Gellert* fala de um homem que mata seu cão fiel por achar que ele matou seu filhinho pequeno. Pouco depois, o homem descobre que o cachorro matou um lobo para proteger seu filho, que está em segurança. Em *A pérola,* de John Steinbeck, um homem e uma mulher pobres ganham um tesouro, uma pérola, enquanto perdem outro, seu filho. Muitas das peças e poemas de Federico García Lorca são obras-primas em ironia amarga, assim como muitas das peças de Henrik Ibsen.

No entanto, a história do velho e da minha tia, embora os dois tivessem uma ironia amarga cada um ao seu próprio modo, também contém uma reviravolta animadora – a de que o amor pode triunfar sobre as perdas. Mesmo depois de todos esses anos, desde que minha tia sofreu um derrame e foi aos poucos se afastando do nosso círculo familiar, eu continuo a sentir por ela um profundo amor e gratidão, que sinto também pelo estranho na cabana no bosque que deu forças a alguém que amei, que por sua vez me deu forças, para eu poder lhe falar sobre o dom da história; e para que você se sinta estimulado a oferecer o dom das suas próprias histórias a outras pessoas que você ame.

Assim, percebe-se que a história como doação tem generatividade e genealogia. Apenas pelo fato de você estar lendo minhas palavras, já estamos chegando à quinta geração da história sobre o rapaz e a moça que venderam o que tinham de valor para obter objetos que se tornaram inúteis, mas que fizeram com que eles voltassem à sua nota fundamental, o tesouro maior do seu amor um pelo outro.

Alguém contou ao velho,
o velho contou à minha tia,
minha tia me contou,
eu lhe contei,
talvez você conte a outra pessoa,
e essa outra poderia contar a mais outra também.

Para algumas histórias, considerações sobre a hora certa, o local certo, a pessoa certa, a preparação certa e o objetivo certo indicam quando e se a história deveria ser contada ou não. Mas, para as histórias de família, histórias da nossa cultura e histórias da nossa vida pessoal, qualquer hora pode ser exatamente a hora certa para se fazer a doação da história.

Como os sonhos noturnos, as histórias costumam usar a linguagem simbólica, evitando, portanto, o ego e a *persona,* para chegar direto ao espírito e à alma que procuram ouvir as instruções ancestrais e universais ali embutidas. Em decorrência desse processo, as histórias podem ensinar, corrigir erros, aliviar o coração e a escuridão, proporcionar abrigo psíquico, auxiliar a transformação e curar ferimentos.

Nos tempos atuais, há uma necessidade de uma independência vigorosa entre os indivíduos, o que é bom. No entanto, com frequência ela é mais propiciada e apoiada em grande parte pela interdependência deliberada com uma comunidade de outras almas. Há quem diga que a comunhão se baseia em laços de sangue, às vezes ditada pela opção, às vezes pela necessidade. E embora isso realmente seja verdade, o campo gravitacional imensamente mais forte que mantém um grupo coeso está nas suas histórias... as histórias comuns e simples compartilhadas pelos seus membros. Embora elas possam girar em torno de crises dominadas, de tragédias evitadas, de que não se pode escapar da morte, da ajuda que chega no último instante, iniciativas tolas, hilaridade desenfreada e assim por diante, as histórias que as pessoas contam entre si criam um tecido forte que pode aquecer as noites espirituais e emocionais mais frias. Portanto, as histórias que vêm à tona no grupo vão se tornando, ao longo do tempo, tanto extremamente pessoais quanto eternas, pois assumem vida própria quando são repetidas muitas vezes.

Seja a sua família velha, jovem ou ainda em formação, seja você amante ou amigo, são as experiências compartilhadas com os outros e as histórias que se contam depois sobre essas experiências, além daquelas que se trazem do passado e do futuro, que criam o vínculo definitivo.

Não existe um jeito certo ou errado de contar uma história. Talvez você se esqueça do início, do meio ou do final. Mas um pouquinho de sol nascendo através de uma pequena janela também anima o coração... Por isso, adule os velhos resmungões para que contem suas melhores lembranças. Peça às criancinhas seus momentos mais felizes. Pergunte aos adolescentes os momentos mais assustadores das suas vidas. Dê a palavra aos velhos. Passe por toda a roda. Force os introvertidos. Pergunte a cada pessoa. Você vai ver. Todos serão aquecidos, sustentados pelo círculo de histórias que criarem juntos.

Embora nenhum de nós vá viver para sempre, as histórias conseguem. Enquanto restar uma criatura que saiba contar a história e enquanto, com o fato de ela ser repetida, os poderes maiores do amor, da misericórdia, da generosidade e da perseverança forem continuamente invocados a estar no mundo, eu lhe garanto que...

                    será suficiente.

Impressão e Acabamento:
EDITORA JPA LTDA.